Colección Disney bilingüe

Mi Primer Diccionario de Inglés

EDITORIAL CORDILLERA

A B C D E F G H I J K L **M** N O P Q R S T U V W X Y Z

medicine
(medicina, remedio)

El médico te da un **remedio** cuando te enfermas.

The doctor gives you **medicine** when you are sick.

melon (melón)

Una rodaja de **melón** es deliciosa aunque ensucie mucho al comerla.

A slice of fresh **melon** tastes good even if it's messy to eat!

merry-go-round
(calesita)

¿Te gusta dar una vuelta en **calesita**?

Do you like to ride the **merry-go-round**?

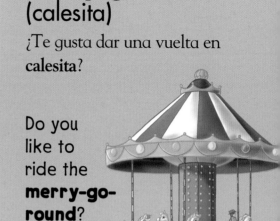

meet (conocer, encontrarse)

¡Es un honor **conocerla**, Princesa Jasmín!

I am honored to **meet** you, Princess Jasmine!

melt (derretir)

Tambor bebe la nieve a medida que se **derrite**.

Thumper drinks the snow as it **melts**.

microphone
(micrófono)

Los cantantes usan **micrófono**.

A singer uses a **microphone**.

mermaid (sirena)

¡Bienvenidos al fondo del mar! ¡Soy Ariel, la **Sirenita**!

Welcome to under the sea! I'm Ariel the Little **Mermaid**!

microwave oven
(horno de microondas)

Parece que Donald ha estado usando el **horno de microondas**.

It looks like Donald has been using the **microwave oven**!

milk shake
(batido, licuado)

¡Slurp! Es divertido beber el **licuado** con una pajita.

Slurp! It's fun to drink a **milk shake** through a straw!

miss (extrañar)

Ariel **extraña** al Príncipe Eric.

Ariel **misses** Prince Eric.

midnight (medianoche)

Un nuevo día comienza un segundo después de la **medianoche**.

A new day starts one second after **midnight**.

minute (minuto)

A Alicia le tomó sólo un **minuto** caer por el agujero del conejo.

It only took a **minute** for Alice to fall down the rabbit hole!

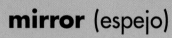

mistake (error)

¡Ay! ¡Gran **error**! Estas aletas deben desaparecer.

Whoa! Big **mistake**! These flippers have got to go.

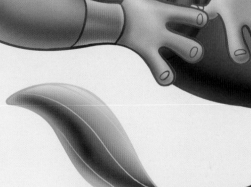

milk (leche)

A los gatos les gusta la **leche** fresca. ¿Y a ti?

Cats love fresh **milk**. Do you?

mirror (espejo)

¡Mira quién está en el **espejo**!

Look who's in the **mirror**!

A B C D E F G H I J K L **M** N O P Q R S T U V W X Y Z

71

A B C D E F G H I J K L **M** N O P Q R S T U V W X Y Z

mix (mezclar)

Blanca Nieves está **mezclando** algo riquísimo.

Snow White is **mixing** up something yummy.

money (dinero)

¡Tengo suficiente **dinero** para mi gran cita con Celia!

I have enough **money** for my big date with Celia!

monkey (mono)

A la mayoría de los **monos** les gusta comer bananas.

Most **monkeys** like to eat bananas.

monster (monstruo)

¡Este **monstruo** necesita muchas medias, zapatos y guantes!

This **monster** needs lots of socks, shoes, and gloves!

moon (luna)

La **luna** ilumina el cielo nocturno.

Our **moon** lights up the night sky.

more (más)

Cenicienta tiene mucho **más** trabajo para hacer.

Cinderella has lots **more** work to do.

morning (mañana)

Los Enanos salen a trabajar todas las **mañanas**.

The Dwarfs go off to work every **morning**.

most (el más, la más)

Cenicienta es la **más** bella del bail

Cinderella is the **most** beautifu girl at the ball.

mother (madre)

Cuando Wendy Darling se enferma, su **madre** cuida de ella.

When Wendy Darling gets sick, her **mother** takes care of her.

mushroom (hongo)

Algunos **hongos** parecen pequeñas sombrillas.

Some **mushrooms** look like little umbrellas.

mountain (montaña)

En esa **montaña** hay nieve.

There's snow on that **mountain**!

mouse (ratón de computadora)

Para que el **ratón de la computadora** funcione, tienes que moverlo.

You need to move the **mouse** to make it work!

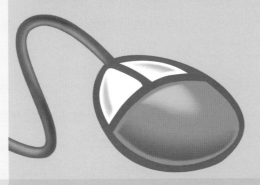

musician (músico)

Este integrante de la banda de Gato Jazz es un buen **músico**.

This Scat Cat is one good **musician**!

mouse (ratón)

¡Soy el único **ratón** que puede hacer esto!

I'm the only **mouse** who can do this!

museum (museo)

¡Este **museo** tiene momias en exhibición!

This **museum** has mummies on display!

mustache (bigote)

El rey Tritón tiene barba y un largo **bigote**.

King Triton has a long **mustache** and beard.

A B C D E F G H I J K L **M** N O P Q R S T U V W X Y Z

newspaper (diario)

Nn

napkin (servilleta)

Esta bonita **servilleta** es adecuada para una cena elegante.

This pretty **napkin** is good for a fancy dinner party!

neighbor (vecino, vecina)

¡Hola **vecino**! ¡Qué lindo día!

Hi, **neighbor**! It's another beautiful day!

near (cerca)

Nala está **cerca** de Simba.

Nala is **near** Simba.

nephew (sobrino)

Donald está contento porque hoy vino a visitarlo sólo uno de sus **sobrinos**.

Donald is glad only one **nephew** came to visit today!

nails (clavos)

Estos **clavos** pueden servirle a Mickey para construir una nueva cucha para Pluto.

These **nails** can help Mickey build a new doghouse for Pluto!

need (necesitar)

¡Mickey **necesita** una toalla!

Mickey **needs** a towel!

net (red)

La **red** divide la cancha de tenis en dos partes.

This **net** divides the tennis court into two sides.

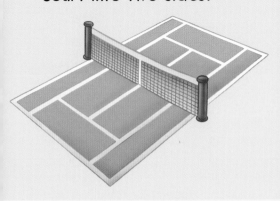

newspaper (diario)

Golfo se asegura de que Jaime Querido vea el **diario** inmediatamente.

Tramp makes sure Jim Dear sees the **newspaper** right away.

nice (agradable)

Sulley piensa que Boo es **agradable**.

Sulley thinks that Boo is **nice**.

never (nunca)

¡Blanca Nieves **nunca** había visto tantos platos sucios!

Snow White has **never** seen so many dirty dishes!

newsstand (quiosco de diarios)

¿No encontraste tu revista en el **quiosco de diarios**?

Didn't you find your magazine at the **newsstand**?

new (nuevo, nueva)

Daisy encuentra un buen lugar para su **nuevo** florero.

Daisy finds a good spot for her **new** vase.

next to (al lado de)

¡Estoy justo **al lado de** mi amigo Pumba!

I'm right **next to** you, Pumbaa, buddy!

niece (sobrina)

Daisy tiene tres **sobrinas** que se llaman Abril, Mayo y Junio.

Daisy has three **nieces** named April, May and June.

A B C D E F G H I J K L M **N** O P Q R S T U V W X Y Z

A
B
C
D
E
F
G
H
I
J
K
L
M
N
O
P
Q
R
S
T
U
V
W
X
Y
Z

night (noche)

La **noche** es la mejor hora para narrar cuentos alrededor de la fogata.

Night is the best time to tell stories around a campfire.

noise (ruido)

Este tambor hace tanto **ruido** como el Genio... ¡Bueno, casi!

This drum makes as much **noise** as a Genie—almost!

no (no)

¡No! ¡**No** puedo ir al baile así!

No! I can't go to the ball like this!

noon (mediodía)

¡**Mediodía**! ¡Ya es hora de almorzar!

It's **noon**! Time for lunch!

north (Norte)

Si sigues viajando hacia el **Norte**, llegarás al Polo Norte, un lugar muy frío.

If you keep traveling **north**, you will reach the North Pole, a very cold place.

no one (nadie)

¡**Nadie** se conforma con descansar sobre la almohada!

No one wants to just rest on a pillow!

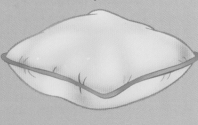

note (nota)

Lady Marian encuentra una **nota** de Robin Hood.

Maid Marian finds a **note** from Robin Hood.

notebook (cuaderno)

Puedes escribir tu tarea en este **cuaderno**.

You can write your homework in this **notebook**.

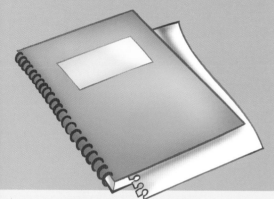

nothing (nada)

Aladdín tiene un racimo de bananas, pero Abu no tiene **nada**.

Aladdin has a bunch of bananas, but Abu has **nothing**.

now (ahora)

Simba va a abalanzarse... ¡**ahora** mismo!

Simba is going to pounce–**now**!

numbers (números)

¿Puedes contar del 1 al 10? ¿ Hasta qué **número** sabes?

1

2

3

4

5

6

7

8

9

10

Can you count the **numbers** from one to ten? How high can you count?

A
B
C
D
E
F
G
H
I
J
K
L
M
N
O
P
Q
R
S
T
U
V
W
X
Y
Z

A B C D E F G H I J K L M N O P Q R S T U V W X Y Z

orange (naranja)

O o

oil (aceite)

Uso **aceite** de oliva cuando cocino.

I use olive **oil** when I cook!

omelette (tortilla francesa)

¿Quieres tu **tortilla francesa** con queso?

Do you like cheese in your **omelette**?

old (viejo, vieja)

Los monstruos más jóvenes piensan que Roz es **vieja**.

The younger monsters think Roz is **old**.

on (en, sobre)

¡Por fin estoy sentado **en** el trono!

At last! I am **on** the throne!

octopus (pulpo)

Estrechar las manos de un **pulpo** lleva mucho tiempo.

It takes a long time to shake hands with an **octopus**!

onion (cebolla)

Picar **cebollas** frescas puede hacerte llorar.

Chopping a fresh **onion** might make your eyes tear.

ostrich (avestruz)

El **avestruz** es el ave más grande del mundo. Tiene las patas y el cuello largos.

An **ostrich** is the largest bird in the world, with a long neck and legs.

over (sobre)

¡Mira, Simba, cómo salto **sobre** ti!

> Watch me jump **over** you, Simba!

open (abrir)

¡**Abre** el cofre del tesoro para ver qué hay adentro!

Open the treasure chest to see what is inside!

out (afuera)

Nala, ¿por qué estás **afuera** de la cueva?

> Nala, why did you go **out** of the cave?

orange (naranja)

Exprime una **naranja** y obtendrás un dulce jugo.

Squeeze an **orange** and you get sweet juice!

oven (horno)

¡Mmmm! Hay una tarta recién horneada en el **horno**.

Mmmm! There's a freshly baked pie in the **oven**!

owl (búho)

Casi todos los **búhos** duermen durante el día.

Most **owls** sleep during the day.

A B C D E F G H I J K L M N **O** P Q R S T U V W X Y Z

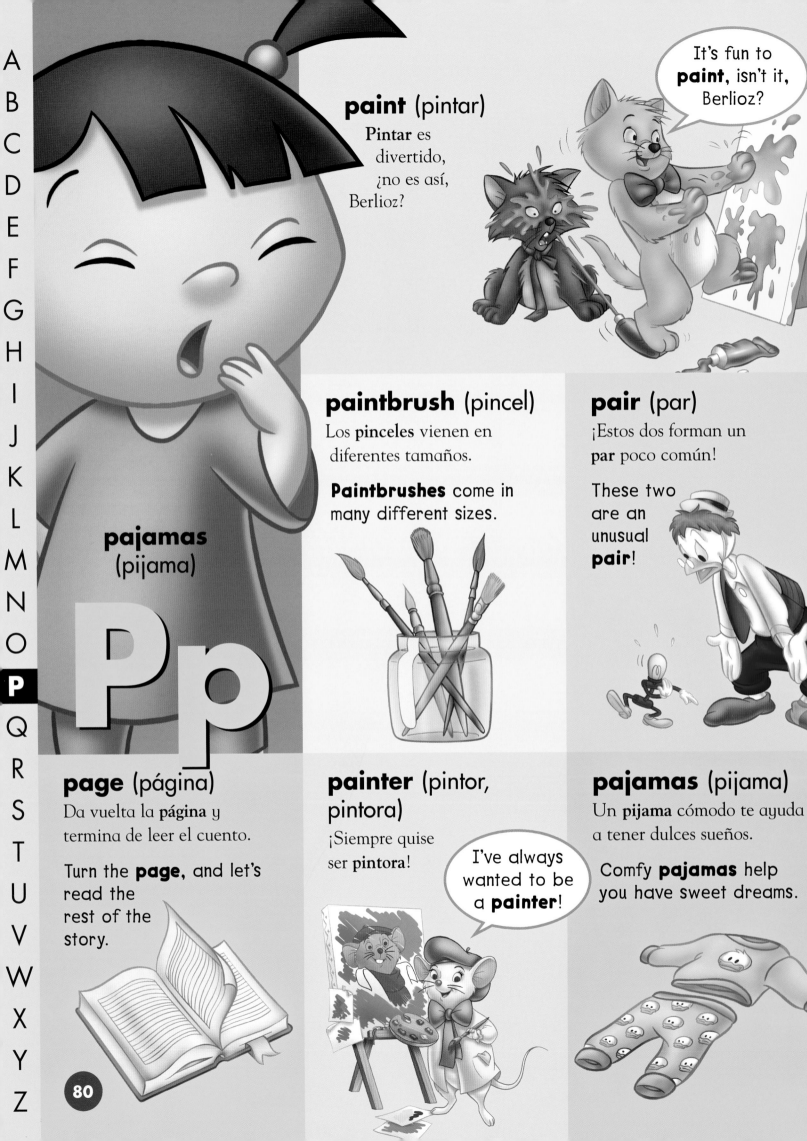

A B C D E F G H I J K L M N O **P** Q R S T U V W X Y Z

Pp

pajamas (pijama)

paint (pintar)

Pintar es divertido, ¿no es así, Berlioz?

It's fun to **paint**, isn't it, Berlioz?

paintbrush (pincel)

Los **pinceles** vienen en diferentes tamaños.

Paintbrushes come in many different sizes.

pair (par)

¡Estos dos forman un **par** poco común!

These two are an unusual **pair**!

page (página)

Da vuelta la **página** y termina de leer el cuento.

Turn the **page**, and let's read the rest of the story.

painter (pintor, pintora)

¡Siempre quise ser **pintora**!

I've always wanted to be a **painter**!

pajamas (pijama)

Un **pijama** cómodo te ayuda a tener dulces sueños.

Comfy **pajamas** help you have sweet dreams.

pan (sartén)

¡Mmmm! La cena está cocinándose en la **sartén**.

Yum! Dinner is cooking in the **pan**!

pants (pantalón)

Algunos **pantalones** se abotonan en la cintura y generalmente también tienen cierre.

Pants sometimes button at the waist and usually have a zipper, too.

parents (padres)

¿Acaso los **padres** de Wendy no forman una linda pareja?

Aren't Wendy's **parents** a handsome couple?

panda (oso panda)

¡Este **oso panda** nunca había visto a nadie como Goofy!

This **panda** had never seen anyone quite like Goofy!

paper (papel)

Las páginas de los libros están hechas de **papel**.

The pages of books are made of **paper**!

park (parque)

¡Este **parque** es un sitio divertido para jugar!

This **park** is a fun place to play in!

panther (pantera)

Algunas **panteras** tienen manchas, otras son completamente negras.

Some **panthers** are spotted, and some are all black.

parade (desfile)

¡No hay nada como un **desfile** en Agrabah!

There's nothing like a **parade** in Agrabah!

A B C D E F G H I J K L M N O **P** Q R S T U V W X Y Z

parrot (loro)

¿De qué color son las plumas de este **loro**?

What colors are this **parrot's** feathers?

passenger (pasajero, pasajera)

La señorita Bianca y Bernardo son **pasajeros** de un vuelo especial.

Miss Bianca and Bernard are **passengers** on a special flight!

pasta (pasta)

La Dama y el Vagabundo comparten la **pasta** en una cena romántica.

Lady and Tramp share a romantic **pasta** dinner.

pavement (vereda, acera)

¿Te paras en la **vereda** para ver cómo pasan los autos?

Do you stand on the **pavement** and watch the cars go by?

paw (pata)

Simba trata de golpear a una **mariposa** con su pata.

Simba swats at a butterfly with his **paw**!

pay (pagar)

¡Alto ahí! ¡Tienes que **pagar** por esa manzana!

Stop right there! You have to **pay** for that apple!

peach (durazno)

El **durazno** es rico en tartas, helados o solo.

A **peach** is good in a pie or ice cream or all by itself!

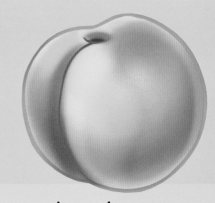

pear (pera)

Cuando la **pera** está blanda, está lista para comer.

When a **pear** is soft to the touch, it's ready to eat!

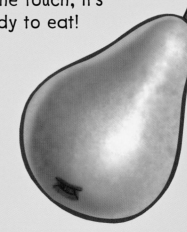

peas (arvejas, chícharos)

Como las **arvejas** ruedan en tu plato, necesitas una cuchara para comerlas.

Peas roll around on the plate so much, you need a spoon to eat them!

pen (lapicera, pluma, bolígrafo)

Bella usa una **pluma** de ave para escribir una carta.

Belle picks up a quill **pen** to write a letter.

people (personas, gente)

Estas **personas** (¡y el perro también!) forman la familia Darling.

These **people** (and dog!) make up the Darling family.

pepper (pimienta)

¡Achís! Si respiras profundamente cerca de la **pimienta**, puedes estornudar.

Achoo! If you breath it in too deeply, **pepper** can make you sneeze!

pencil (lápiz)

Puedes borrar las líneas hechas con **lápiz**.

You can erase **pencil** lines.

pepper (pimiento)

El **pimiento** rojo es un poco más dulce que el verde.

A red **pepper** tastes a little sweeter than a green pepper.

pet (mascota)

No sólo eres la mejor **mascota** del mundo, Rajá, ¡también eres mi mejor amigo!

Rajah, you're not just the best **pet** in the world— you're my best friend, too!

penguin (pingüino)

¿No parece que este **pingüino** tuviera puesto un esmoquin?

Doesn't this **penguin** look like it's wearing a tuxedo?

A B C D E F G H I J K L M N O **P** Q R S T U V W X Y Z

Sidebar alphabet: A B C D E F G H I J K L M N O **P** Q R S T U V W X Y Z

photograph (fotografía)

¿Quién está en esta **fotografía**?

Who's in this **photograph**?

pick up (levantar, recoger)

Los animales le muestran a Aurora la ropa que **recogieron** del suelo en el bosque.

The animals show Aurora a few pieces of clothing they've **picked up** from the forest floor.

photographer (fotógrafo)

¡Sonrían! ¡Soy el **fotógrafo** de Monstruópolis!

Smile! I'm the Monstropolis **photographer**!

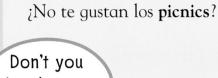

picnic (picnic)

¿No te gustan los **picnics**?

Don't you just love a **picnic**?

pie (tarta, pastel)

Hay **tartas** con rellenos deliciosos de manzana, limón, durazno y nueces. ¿Cuál te gusta más?

Apple, lemon, peach and pecan are just a few yummy **pie** fillings. Which one do you like best?

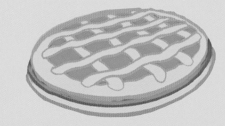

piano (piano)

Para tocar el **piano**, usas tus manos y hasta tus pies.

You use two hands and even your feet to play the **piano**!

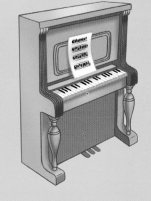

picture (cuadro, pintura)

¿Puedes dibujar un cuadro con una **vaca**?

Can you draw a **picture** of a cow?

pig (cerdo)

Los **cerdos** son en realidad animales muy limpios e inteligentes.

A **pig** is really a very clean and smart animal.

pillow (almohada)

En cuanto Boo pone la cabeza sobre la **almohada**, se queda dormida.

The minute her head hits the **pillow**, Boo is fast asleep!

pineapple (ananá, piña)

Una vez que logras cortar la gruesa cáscara del **ananá**, eres recompensado con un dulce y jugoso premio.

Once you get inside the tough skin of a **pineapple**, you are rewarded with a sweet, juicy treat!

plate (plato)

¡Este **plato** va sobre la mesa!

This **plate** goes on the dinner table!

pilot (piloto)

Orville es al mismo tiempo el **piloto** y el avión.

Orville is both the **pilot** and the plane!

pirate (pirata)

¡Ay! ¡A veces es difícil ser un **pirata**!

Aargh! Being a **pirate** is tough sometimes!

play (obra de teatro)

¡Lilo y Stitch son las estrellas de su propia **obra de teatro**!

Lilo and Stitch are the stars of their own **play**!

pin (prendedor, broche)

¡Ese bonito **prendedor** se verá bien en cualquier prenda!

That pretty **pin** would look good on any piece of clothing!

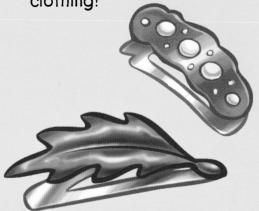

plant (planta)

¡Hola, pequeña **planta**! Voy a cuidarte muy bien.

Hello, little **plant**! I'm going to take good care of you!

play (jugar)

¿A qué te gusta **jugar**?

What do you like to **play**?

A B C D E F G H I J K L M N O **P** Q R S T U V W X Y Z

85

playground
(patio de juegos)

Me gusta subirme a las hamacas en el **patio de juegos**.

*I love to go on the swings at the **playground**.*

police officer
(agente de policía)

Todos los **agentes de policía** de Monstruópolis hacen bien su trabajo.

All the **police officers** in Monstropolis are very good at their jobs!

police station (comisarí
estación de policía)

La **comisaría** está llena de agentes de policía.

The **police station** is filled wit police officers.

plum (ciruela)

La mayoría de las **ciruelas** son verdes o moradas.

Most **plums** are green or purple.

pocket (bolsillo)

En el **bolsillo** de un abrigo puedes guardar monedas, pañuelos, las llaves y otras cosas.

You can keep spare change, tissues, keys and other things in a coat **pocket**.

poor (pobre)

Seremos **pobres**, Abu, pero nos tenemos el uno al otro.

*We may be **poor**, Abu, but we've got each other!*

popcorn (pochoclo, palomitas de maíz)

¡El **pochoclo** es tan rico con manteca y sal...!

Popcorn is so good with butter and salt on it!

postperson (cartero)

El **cartero** Goofy está trabajando.

Postperson Goofy is on the job!

potato chips (papas fritas)

¡Es divertido comer **papas fritas** porque crujen!

Crunch! **Potato chips** are fun to munch!

post office (oficina de correo)

¡Vayamos a la **oficina de correo** para comprar estampillas!

Let's go to the **post office** to buy stamps.

pot (cacerola, olla)

¡Mira toda la comida que hay en esa **olla**!

Look at all the food in that **pot**!

pour (verter, servir)

¡Aquí está! Permíteme **servir** un poco de té. ¡Y lo preparamos para tres!

Here! Allow me to **pour** you some tea— make that tea for three!

poster (póster)

Este **póster** es de la estrella de rock favorita de Daisy.

This is a **poster** of Daisy's favorite rock star!

potato (papa)

Hervidas, al horno, en puré o fritas, las **papas** son deliciosas.

Boiled, baked, mashed or fried, a **potato** tastes good!

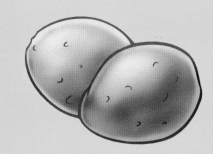

A B C D E F G H I J K L M N O **P** Q R S T U V W X Y Z

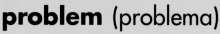

A B C D E F G H I J K L M N O **P** Q R S T U V W X Y Z

present (regalo)

Es divertido adivinar qué hay en cada **regalo**.

It's fun to guess what each **present** can be!

princess (princesa)

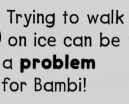

La **Princesa** Jasmín es la hija del Sultán de Agrabah.

Princess Jasmine is the daughter of the Sultan of Agrabah.

problem (problema)

Intentar caminar sobre el hielo puede ser un **problema** para Bambi!

Trying to walk on ice can be a **problem** for Bambi!

price (precio)

Sulley revisa el **precio** de su nueva lunchera.

Sulley checks the **price** of a new lunch box.

printer (impresora)

La mayoría de las **impresoras** pueden imprimir en color y también en blanco y negro.

Most **printers** can print in color as well as in black and white.

pudding (budín)

¿Qué **budín** te gusta más: el de chocolate o el de vainilla?

Do you like chocolate or vanilla **pudding** better?

prince (príncipe)

¡El **Príncipe** Felipe hará cualquier cosa para salvar a la Bella Durmiente!

Prince Phillip will do anything to save Sleeping Beauty!

pull (tirar de)

Donald trata de **tirar** de la escalera para bajarla de la casa del árbol.

Donald tries to **pull** the ladder down from the tree house.

88

pumpkin (calabaza, zapallo)

El Hada Madrina de Cenicienta convierte la **calabaza** en una carroza nueva y reluciente.

Cinderella's Fairy Godmother turns a **pumpkin** into a shiny new coach!

push (empujar, empujoncito)

Mickey le da un **empujoncito** a Ferdie en la hamaca.

Mickey gives Ferdie a **push** on the swing.

puppet (marioneta, títere)

No olvides esto, **títere**: ¡yo soy el jefe!

Don't forget, **puppet**, I am the boss!

purse (cartera, bolso, monedero)

Una linda **cartera** ayuda a verse bien con cualquier ropa.

A pretty **purse** can help dress up any outfit!

put (poner)

Daisy quiere **poner** su propia sombrilla en el patio trasero.

Daisy wants to **put** her own umbrella up in her backyard!

puppy (cachorro)

¡Este **cachorro** está siempre hambriento!

This **puppy** is always hungry!

A B C D E F G H I J K L M N O **P** Q R S T U V W X Y Z

A B C D E F G H I J K L M N O P **Q** R S T U V W X Y Z

queen (reina)

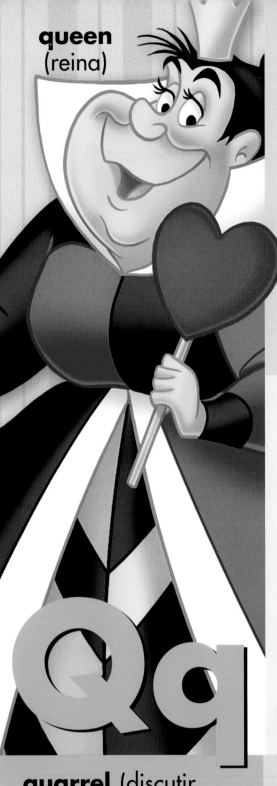

queen (reina)

La **Reina** de Corazones gobierna en el País de las Maravillas.

The **Queen** of Hearts rules over Wonderland.

Q q

question (pregunta)

Scuttle, te voy a hacer una **pregunta**: ¿qué es eso?

So, Scuttle, here's a **question**. What is that thing?

quiet (tranquilo, tranquila)

La Princesa Jasmín disfruta de un **tranquilo** momento a solas.

Princess Jasmine enjoys a **quiet** moment alone.

quarrel (discutir, pelear)

Gruñón no quiere **pelear** con los otros Enanos, ¡pero a veces no se puede controlar!

Grumpy doesn't mean to **quarrel** with the other Dwarfs. He just can't help himself!

quick (rápido, rápida)

¡Donald tiene que ser **rápido** para atrapar todas las pelotas!

Donald has to be **quick** to catch those baseballs!

quilt (edredón, acolchado)

Un **edredón** te mantiene calentito en las noches frías.

A **quilt** will keep you warm on cold nights!

rope
(soga)

race (carrera)

¡Te desafío a una **carrera** para regresar a la Roca del Orgullo!

Let's **race** back to Pride Rock!

raincoat (piloto, impermeable)

Ponte el **impermeable** y las botas la próxima vez que llueva.

Put on your **raincoat** and boots next time it rains!

rain (lluvia)

Bambi se moja con la **lluvia** de primavera.

Bambi gets wet from the spring **rain**.

reach (alcanzar)

Este corderito está tratando de **alcanzarme** para jugar.

This little lamb is **reaching** out to play!

rabbit (conejo)

El nombre de este **conejo** es Tambor.

This **rabbit's** name is Thumper.

rainbow (arco iris)

¡Siempre hay un **arco iris** en el País de Nunca Jamás!

There's always a **rainbow** in Never Land!

A B C D E F G H I J K L M N O P Q **R** S T U V W X Y Z

read (leer)

Puedo **leer** un buen libro durante horas.

I can **read** a good book for hours!

referee (árbitro)

Stitch se sienta en un sitio elevado para ser el **árbitro** del partido de vóley.

Stitch sits up high to be the **referee** at volleyball.

remember (recordar, acordarse)

¿Por qué Donald no puede **acordarse** de llevar dinero cuando sale con Daisy?

Why can't Donald **remember** his money when he's with Daisy?

receipt (recibo)

Daisy tiene más de un **recibo** de su última visita al centro comercial.

Daisy has more than one **receipt** from her last shopping trip!

refrigerator (heladera, refrigerador)

Busquemos en la **heladera** algo liviano para comer.

Let's look in the **refrigerator** for a snack!

remote control (control remoto)

¿El **control remoto** del televisor se te pierde a veces entre los almohadones del sillón?

Does your TV's **remote control** get lost in the couch cushions sometimes?

receive (recibir)

Donalds **recibe** un montón de boletas por correo.

Donald **receives** a lot of bills in the mail!

relative (pariente, familiar)

Los **parientes** posan para una foto.

The **relatives** in this family pose for a photo.

repair (reparar)

¿Dejarías que Goofy **reparara** tu mesa?

Would you let Goofy **repair** your table?

reporter (reportero, periodista)

El **reportero** de Monstruópolis TV está al aire, dando las últimas noticias.

The Monstropolis TV **reporter** is on the air, giving the latest news.

restaurant (restaurante)

Me gusta que todo esté perfecto antes de abrir mi **restaurante**.

I like everything to be perfect before I open my **restaurant**.

A
B
C
D
E
F
G
H
I
J
K
L
M
N
O
P
Q
R
S
T
U
V
W
X
Y
Z

93

rhinoceros (rinoceronte)

Hay **rinocerontes** en África y en Asia.

The **rhinoceros** is found in Africa and Asia.

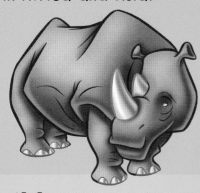

rich (rico)

Soy **rico**, **rico**, ¡**rico**! ¡Y todo esto es mío!

I'm **rich, rich, rich**! And it's all mine!

right (derecha)

Nala, estoy a tu **derecha**.

Nala, I am on your **right** side!

ribbon (cinta)

Los regalos se ven más lindos con una hermosa **cinta**.

A present looks nicer with a pretty **ribbon** on it!

ride (paseo)

¡Stitch da un excitante **paseo**!

Stitch goes for one crazy **ride**!

right (correcto, correcta)

¡Ésa es la respuesta **correcta**! ¡Muy buen trabajo!

That's the **right** answer! Very good work!

$10 \times 2 + 5 - 15 = 10$

rice (arroz)

¿Sabes usar palitos chinos para comer **arroz**?

Can you use chopsticks to eat **rice**?

river (río)

Un **río** corre silenciosamente cerca del campamento de Mickey.

A **river** runs quietly next to Mickey's campsite.

rock (roca)

Rafiki presenta al bebé Simba en la **Roca** del Orgullo.

Rafiki presents Baby Simba for the first time at Pride **Rock**!

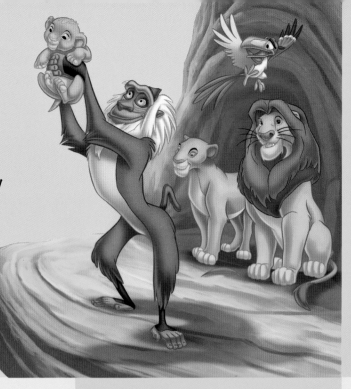

ruler (regla)

Las **reglas** te ayudan a dibujar líneas rectas.

A **ruler** can help you draw straight lines.

roll (rodar)

Sir Hiss **rueda** cuesta abajo por la colina, a su manera.

Sir Hiss **rolls** down the hill his own way!

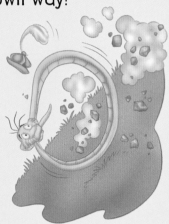

rope (soga)

Las **sogas** pueden ser muy útiles en una excursión de campamento.

A **rope** can come in handy on a camping trip.

run (correr)

¡**Correré** contigo hasta casa, Simba!

I'll **run** all the way home with you, Simba!

rooster (gallo)

Los **gallos** tienen largas plumas en la cola y una cresta de color rojo brillante en la cabeza.

A **rooster** has long tail feathers and a bright red comb on his head.

A B C D E F G H I J K L M N O P Q **R** S T U V W X Y Z

A
B
C
D
E
F
G
H
I
J
K
L
M
N
O
P
Q
R
S
T
U
V
W
X
Y
Z

shell
(caparazón)

S s

sail (navegar)

Ariel observa el barco de Eric mientras **navega**.

Ariel watches Eric's ship **sail**.

salad (ensalada)

¡Aquí tienes una crujiente y fresca **ensalada**!

Here's a crisp, fresh **salad**!

same (mismo, misma)

¡Ja, ja! ¡Tenemos puesto el **mismo** vestido!

Ha, ha! We're wearing the **same** dress!

sad (triste)

¿A ti también te pone **triste** tomar un baño?

Does taking a bath make you **sad**, too?

salt (sal)

En todas las cocinas hay un salero con **sal**.

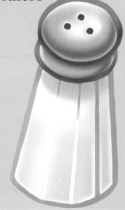

Every kitchen has a **salt** shaker.

sand (arena)

¡Uf! Tanta **arena** y Aladdín no aparece por ningún lado... ¡Y tampoco hay bananas!

Uh-oh! So much **sand** and no Aladdin... And no banana!

sandals (sandalias)

Cuando usas **sandalias**, los dedos de tus pies se mueven para decirle "hola" al sol.

Your toes can wiggle "hello" to the sun when you wear **sandals**.

sandwich (sándwich)

¿Qué tipo de **sándwich** te gustaría comer?

What kind of **sandwich** do you like to eat?

sausage (salchicha)

Las **salchichas** son deliciosas hervidas o fritas.

Sausages taste good boiled or fried.

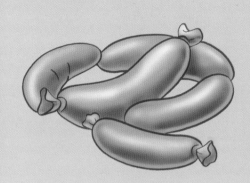

sandbox (arenero)

¡Puedes excavar durante horas en un **arenero**!

You can dig for hours in a **sandbox**!

saucer (platito)

¡Este **platito** me queda perfecto!

This **saucer** is a perfect fit for me!

save (ahorrar)

Hugo, Paco y Luis **ahorran** dinero para el regalo de cumpleaños del Tío Donald.

Huey, Dewey and Louie **save** money for Uncle Donald's birthday present.

sand castle (castillo de arena)

¡Oh, no! ¡Stitch está pisoteando el **castillo de arena**!

Oh, no! Stitch is stomping on a **sand castle!**

saw (serrucho, sierra)

Para cortar madera, un **serrucho** debe moverse hacia adelante y hacia atrás.

A **saw** moves back and forth across the wood it is cutting.

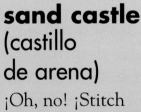

A B C D E F G H I J K L M N O P Q R **S** T U V W X Y Z

A B C D E F G H I J K L M N O P Q R **S** T U V W X Y Z

saxophone (saxofón)

En la banda de Gato Jazz siempre hay un músico que toca el **saxofón**.

The Scat Cat Band always has a **saxophone** player!

scarf (bufanda)

La **bufanda** es más larga que la ratoncita.

The **scarf** is longer than the mouse!

scissors (tijeras)

Puedes usar **tijeras** de punta redondeada para recortar divertidas formas de papel.

You can use safety **scissors** to cut fun shapes out of paper.

say good-bye (despedirse)

Queremos **despedirnos**. ¡Gracias por venir!

We want to **say good-bye**! Thanks for coming!

scary (que da miedo)

Todos piensan que Úrsula, la bruja del mar, ¡**da miedo**!

Everyone finds Ursula the sea witch **scary**!

scratch (rascar)

¡Déjame **rascarte** donde tienes picazón!

Let me **scratch** that itch for you!

scared (asustado, asustada)

Sulley se sintió **asustado** cuando Boo tiró de su cola.

Sulley was **scared** when Boo pulled his tail.

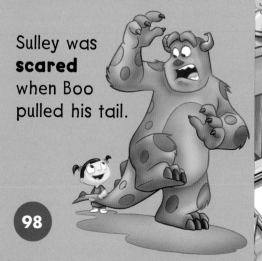

school (escuela)

En la **escuela**, hoy la lección será sobre las formas.

Today's lesson in **school** is about shapes!

scream (gritar)

Algunas personas **gritan** cuando miran películas que dan miedo.

Some people **scream** when they see scary movies.

sea (mar)

Lilo y Stitch están casi listos para practicar surf en el **mar**.

Lilo and Stitch are almost ready to surf in the **sea**!

screen (pantalla)

¿De quién es la cara que está en la **pantalla**?

Whose face is that on the **screen**?

seafood (frutos del mar, mariscos)

Los camarones, los pescados y la langosta son **frutos del mar**.

Shrimp, fish and lobster are all **seafood**.

seal (foca)

¡Esta **foca** tiene un talento especial!

This **seal** has a special talent!

screwdriver (destornillador)

Sostén el **destornillador** por el mango y dale vuelta suavemente.

Hold the **screwdriver** by the handle and turn it slowly.

seagull (gaviota)

¡Ahora, escúchame! ¡Scuttle, la **gaviota**, tiene algo que decir!

Now hear this! Scuttle the **seagull** has something to say!

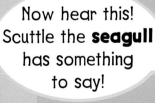

A B C D E F G H I J K L M N O P Q R **S** T U V W X Y Z

seasons (las estaciones)

¿Qué **estación** del año te gusta más?

Which **season** do you like the best?

Spring

The **spring** rain tastes good!

La lluvia de **primavera** tiene un sabor delicioso.

Summer

I just love the flowers that bloom in the **summer**!

¡Me encantan las flores que aparecen en el **verano**!

Fall

It's awful windy in the **fall**!

¡En el **otoño** está horriblemente ventoso!

Winter

There's lots of slippery ice in **winter**!

¡Hay mucho hielo resbaladizo en **invierno**!

second (segundo)

Lilo cuenta los **segundos** que puede contener la respiración.

Lilo counts the **seconds** she can hold her breath.

secret (secreto)

Daisy le susurra a Donald un **secreto** al oído.

Daisy whispers a **secret** in Donald's ear.

secretary (secretaria)

Las **secretarias** trabajan en las oficinas.

A **secretary** works in an office.

see (ver)

¡Nunca pensé que **vería** algo como esto!

I never thought I'd **see** this!

sew (coser)

Cosamos este moño en el vestido de Cenicienta.

Let's **sew** this bow onto Cinderella's dress!

shake (sacudir)

Sebastián **sacudirá** cualquier cosa para comprobar si puede hacer música.

Sebastian will **shake** anything to see if it makes music!

sell (vender)

¡Roger nunca le **venderá** sus cachorros a Cruela De Vil!

Roger will never **sell** his puppies to Cruella De Vil!

shadow (sombra)

El Pequeño Juan tiene una gran **sombra**.

Little John has a big **shadow**.

shampoo (champú)

El **champú** tiene un olor fresco y limpio.

Shampoo has a fresh, clean smell.

send (enviar)

¡**Enviemos** esto muy lejos!

Let's **send** this far away!

A B C D E F G H I J K L M N O P Q R **S** T U V W X Y Z

ABCDEFGHIJKLMNOPQR**S**TUVWXYZ

shape (forma)

¿Cuál es tu **forma** favorita?

Do you have a favorite **shape**?

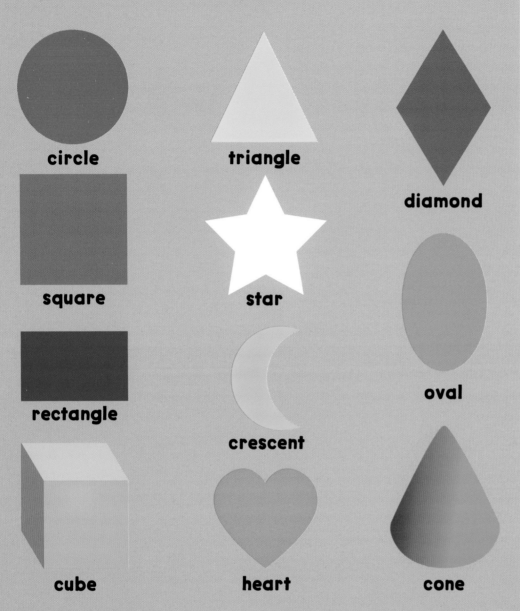

circle

triangle

diamond

square

star

rectangle

crescent

oval

cube

heart

cone

sharp (afilado, afilada)

El Capitán Garfio tiene una espada muy **afilada**.

Captain Hook has a very **sharp** sword!

shave (afeitar)

El Capitán Garfio deja que Esmí lo **afeite**.

Captain Hook lets Smee give him a **shave**.

share (compartir)

Oliver y Tito **comparten** el mismo lado del subibaja.

Oliver and Tito **share** one side of the seesaw.

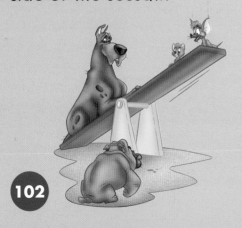

shark (tiburón)

¡Mira qué enormes dientes tiene este **tiburón**!

Look at the big teeth on this **shark**!

102

sheep (oveja)

Todas las primaveras hay que esquilar las **ovejas** para obtener la lana.

Every spring, it's time to shave **sheep** for their wool.

shell (caparazón)

Ariel puede encontrar hermosos **caparazones** de caracoles marinos en la playa.

Ariel can find many pretty **shells** on the beach.

shirt (camisa)

Esta **camisa** tiene hermosos botones.

This **shirt** has beautiful buttons.

sheet (sábana)

Esta cama tiene suaves **sábanas** blancas y una frazada.

This bed has soft, white **sheets** and a blanket.

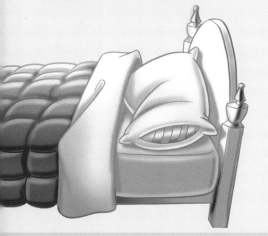

shine (brillar)

¡El sol **brilla** intensamente sobre Daisy!

The sun **shines** brightly on Daisy!

shoes (zapatos)

¿No te gustan mis **zapatos** de color rosa?

Don't you just love my pink **shoes**?

shelf (estante)

¿Qué pondrías sobre el **estante**?

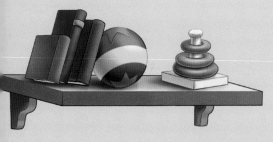

What would you put on the **shelf**?

ship (barco)

El **barco** hará un largo viaje.

This **ship** is going on a long trip.

short (bajo, baja)

Alicia es tan **baja** que cabe debajo de la mesa.

Alice is so **short**, she fits under the table.

A B C D E F G H I J K L M N O P Q R **S** T U V W X Y Z

103

A
B
C
D
E
F
G
H
I
J
K
L
M
N
O
P
Q
R
S
T
U
V
W
X
Y
Z

shorts (pantalones cortos)

¡Qué extravagantes son estos **pantalones corto**s!

Those are some fancy **shorts**!

show (mostrar)

¡Vamos, Sulley! Sólo **muéstrame** a quién escondes ahí dentro.

Come on, Sulley. Just **show** me who you're hiding in there already!

shout (gritar)

¡Timoteo le **grita** a Dumbo!

Timothy **shouts** to Dumbo!

shower (ducha)

Goofy canta en la **ducha**.

Goofy sings in the **shower**.

shy (tímido, tímida)

A Blanca Nieves no le importa que el Enano Tímido sea **tímido**.

Snow White doesn't mind that Bashful is **shy**.

shovel (pala)

¡Qué bueno es tener una **pala** y un balde en el arenero!

It's good to have a **shovel** and a pail in the sandbox!

shut (cerrar)

Sir Hiss piensa que el Rey Juan ha **cerrado** el cofre demasiado rápido.

Sir Hiss thinks King John has **shut** the chest too quickly!

sign (señal)

Esta **señal** le muestra al monstruo dónde está la parada del autobús.

This **sign** shows the monster where the bus stop is.

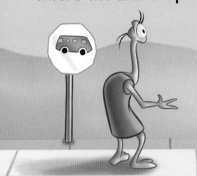

singer (cantante)

¡Si quieres un verdadero **cantante**, sólo llama a Gato Jazz!

For a real **singer**, just call a Scat Cat!

sit (sentarse)

Bella **se sienta** para leer su libro favorito.

Belle **sits** down to read her favorite book.

silverware (cubiertos de plata)

Los **cubiertos de plata** van sobre la mesa junto a cada plato.

Silverware goes next to each plate on the table.

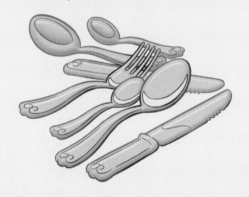

sink (lavabo, pileta, fregadero)

¡Esta pileta está **bastante** llena!

This **sink** is rather full!

skateboard (patineta)

Cuando aprendas a andar en **patineta**, recuerda usar un equipo de seguridad.

When you learn to ride a **skateboard**, be sure to wear safety gear!

sing (cantar)

Goofy canta su propia y particular **canción**.

Goofy **sings** his own special song!

sister (hermana)

Estoy contenta de que seas mi **hermana**, Nani.

I'm glad you're my **sister**, Nani!

A B C D E F G H I J K L M N O P Q R **S** T U V W X Y Z

105

ski (esquiar)

Ésta es la primera vez que la Bestia intenta **esquiar**.

This is the first time the Beast is trying to **ski**.

skis (esquís)

¡Donald no es muy bueno con los **esquís**!

Donald is not so good with **skis**!

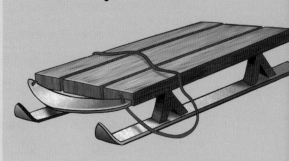

sled (trineo)

Puedes llevar paquetes a casa en tu **trineo**.

You can pull packages home on your **sled**.

skip (brincar)

Pinocho va a la escuela **brincando**.

Pinocchio **skips** off to school.

sky (cielo)

Por la noche, el **cielo** está lleno de estrellas.

The night **sky** is full of stars.

sleep (dormir)

¡La Bestia puede **dormir** en cualquier lugar!

The Beast can **sleep** anywhere!

skirt (falda)

Ésta es una encantadora **pollera** de verano.

This is a lovely **skirt** for spring.

skyscraper (rascacielos)

En una ciudad hay muchos **rascacielos**.

There are a lot of **skyscrapers** in a city.

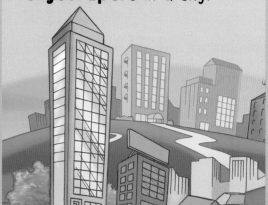

sleeping bag (bolsa de dormir)

Ya es hora de que te metas en tu **bolsa de dormir**.

It's time to climb into your **sleeping bag**!

slide (tobogán)

¡Iupiii! ¡Es divertido deslizarse por el **tobogán**!

Whee! It's fun to go down a **slide**!

smell (oler)

Minnie no puede **oler** nada porque está resfriada.

Minnie can't **smell** anything because she has a cold.

slippers (pantuflas)

Estas **pantuflas** mantendrán tus pies calientes y cómodos.

These **slippers** will keep your feet warm and snug!

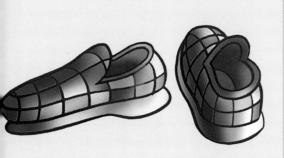

small (pequeño, pequeña)

A Abu no le gusta ser tan pequeño.

Abu doesn't like being so **small**.

smile (sonreír)

¡**Sonríe** para la cámara!

Smile for the camera!

slow (lento, lenta)

¡Alégrate de que soy **lento**, mono!

Be glad I am **slow**, monkey!

smart (inteligente)

Goofy sabe que sus plantas necesitan agua. ¿Eso lo hace inteligente?

Goofy knows his plants need water. Does that make him **smart**?

A B C D E F G H I J K L M N O P Q R **S** T U V W X Y Z

COLECCIÓN DISNEY BILINGÜE

Editor: Pablo Colazo
Editora Jefe: Claudia Amigo
Editor de Arte: Ricardo Pulgar
Colaboradores: Pablo Contreras y Gabriel Valeiras
Coordinadora: Cecilia Boue

MI PRIMER DICCIONARIO DE INGLÉS

Tomo 3 me-sm

Primera edición, 2009

ISBN (obra completa) 978-607-444-046-1
ISBN (tomo) 978-607-444-049-2

EDITORIAL CORDILLERA

Una publicación de Editorial Cordillera de los Andes S.A. de C.V.
Hegel 153-101, Col Polanco, Del. Miguel Hidalgo, C.P. 11570, México D.F.
www.cordillera.com.mx

Este libro se terminó de imprimir en el mes de noviembre de 2009 en la
planta de Impresiones Comerciales Amauta de Empresa Editora El Comercio S.A.
ubicada en Calle Jr. Juan del Mar y Bernedo 1318 , Chacraríos Sur, Lima 1
-Perú-